Paul Thiès

Rún na
Seacht gCloigne

LEABHAR
BREAC

Rírá ar an *mBolg Lán*!

Bíonn saol breá ag foghlaithe mara. Gach lá, téann na foghlaithe mara dána amach ag marú agus ag goid, agus téann na foghlaithe mara maithe amach ag cuardach órchistí, ach amháin ar an Domhnach.

Ar an Domhnach, bíonn lá saoire ag na foghlaithe mara maithe. Suíonn siad ar an deic chun siorc rósta a ithe, ansin ligeann siad a scíth ina gcuid leapacha luascáin.

Is é an Captaen cáiliúil Plúr an cócaire is fearr ar Mhuir Chairib. Báicéir a bhí ann sular cheannaigh sé a long, *An Bolg Lán*.

Gach Domhnach, réitíonn sé cáca mór

seacláide don mhilseog. Is iad a bhean, Mama Plúr, agus na páistí Bairín, Toirtín, Caiscín, agus Éclair, (tá ainmneacha cácaí orthu ar fad) agus an phearóid Rísín a bhíonn sásta. Mar go bhfuil Caiscín beagáinín tanaí, tugann Muintir Phlúir ar fad Cleite air.

Faraor, le tamall anuas, bíonn a athair is a mháthair de shíor ag argóint.

'Tá mé bréan de cháca seacláide is de shiorc rósta,' a deir máthair Chleite. 'Tá mé ag iarraidh an biachlár a athrú!'

'Féadfaidh tú féin an chócaireacht a dhéanamh,' a deir an Captaen Plúr. 'Agus táimse bréan den chláirseach sin a bhíonn tú ag casadh de shíor.'

'Casaim an chláirseach mar go bhfuil

mé bréan den saol. Tá sé an-fhada ó d'aimsíomar aon órchiste. Mura dtagann feabhas ar rudaí fágfaidh mé *An Bolg Lán*!'

'Céard a dúirt tú?' a bhéic an Captaen Plúr.

'Imeoidh mé sna foghlaithe mara dána agus tabharfaidh mé Éclair agus Toirtín liom. Beidh faitíos ar gach duine in Oileáin na Cairibe romhainn!'

Bhí na páistí i bhfolach taobh thiar den chrann seoil mór, agus iad ag éisteacht go ciúin. Chuir Toirtín a dhá láimh timpeall ar a grá geal, Juanito, buachaill loinge an *Bhoilg Láin*. Ionas nach bhfeicfeadh an chuid eile cé chomh trína chéile is a bhí sé, chrom Bairín os cionn na siorcanna a bhí á róstadh aige.

Tháinig tocht ar Chleite agus ar Éclair.
'Tá sé uafásach,' a dúirt Éclair. 'Níor mhaith liom go scarfaí ó chéile muid.'
'Ba mhaith liom go mbeadh gach rud mar a bhí roimhe seo,' a dúirt Cleite.

Tá athair agus máthair Chleite ag argóint de shíor. Tá faitíos ar Chleite go scarfaidh an chlann ó chéile....

Caibidil 2

Tagann Crúca Beag agus Péarla ar Cuairt

Ach, faraor, lean na hargóintí.

'Níll sé go maith! Tá drrroch-chuma airrr seo ar fad!' a dúirt Rísín an phear-óid.

Bhí Cleite ag iarraidh a fháil amach cén chaoi a dtabharfadh sé a athair is a mháthair le chéile arís.

Maidin amháin, tháinig a chara mór Crúca Beag ar cuairt agus é ag marcaíocht ar a pheata deilfe, Flic-Flac.

Bhí ríméad ar Éclair Crúca Beag a fheiceáil.

Bhí Cleite ag éirí den deic le háthas mar bhí a chara Péarla, iníon Rí na gCanablach, ar an deilf in éineacht le Crúca Beag.

Mhínigh Cleite agus Éclair an scéal

faoi na hargóintí dá gcairde. Bhí Crúca Beag ag tochas a chinn agus é ag iarraidh cuimhneamh ar phlean. Chuir sé dinglis i gCócó, pearóid Phéarla, agus d'fhógair:

'Má thagann sibh ar órchiste, is cinnte go ndéanfaidh bhur dtuismitheoirí cóisir mhór. Casfaidh bhur máthair an chláirseach agus casfaidh bhur n-athair an troimpéad agus ina dhiaidh sin gabhfaidh siad ag damhsa ar an deic. Beidh siad mór le chéile arís ansin.'

'An gceapann tú?' a d'fhiafraigh Cleite de.

'Táim cinnte de,' a dúirt Crúca Beag.

'Níl d'athairse chomh crosta le m'athairse, an Captaen Féasóg Fhionn.'

'Ach níl aon órchiste againn,' a dúirt Cleite.

Tháinig cuma mhistéireach ar Chrúca Beag, agus labhair sé i gcogar: 'Is minic gur labhair m'athairse liom faoi Oileán na Seacht gCloigne.'

'Oileán na Seacht gCloigne, cá bhfuil sé sin?' a d'fhiafraigh Cleite, agus a dhá shúil ar leathadh.

'Oileán nach bhfuil i bhfad as seo. Is ann a chuireadh na foghlaithe mara a gcuid órchistí i bhfolach fadó.'

'Agus níl tada eile ar eolas agat faoin oileán?' a d'fhiafraigh Cleite de. Ba bhreá le Cleite órchiste a thabhairt ar bord an *Bhoilg Láin*, lena chruthú gur foghlaí mara ceart a bhí ann.

'Bhuel, níl....' a dúirt Crúca Beag, agus a mhéar aige ar an bhfiacail siorca a bhí crochta dá mhuineál.

Bhí cuma mhíchompordach air. Mheas Cleite go raibh rud éigin á cheilt aige, ach bhí an t-am ag sleamhnú.

'Maith go leor. Téimis sa tóir ar an órchiste! Caithfimid deifir a dhéanamh!'

Molann Crúca Beag go ngabhfaidís sa tóir ar órchiste chun
tuismitheoirí Chleite a thabhairt le chéile arís.

Caitlín an Choncair

An tráthnóna sin, go ciúin, d'éalaigh
Cleite, Péarla, Éclair agus Crúca Beag
ar bord cheann de bháid iomartha an
Bhoilg Láin. Chuir siad chun farraige,
agus Flic-Flac ag damhsa go sásta
timpeall ar an mbád.

Chaith siad an oíche ag iomramh,
agus le héirí gréine chonaic Cleite
seol ar íor na spéire. Thóg sé gloine

féachana* as a phóca agus bhreath-
naigh ann go bhfaca sé *An Crochadóir*,
long an Chaptaein Féasóg Bhearrtha,
an foghlaí mara ba mheasa sa cheantar!

'Ar aire! Faoi réir!' a bhéic Cleite.

Bhí sé ina chíor thuathail sa bhád
iomartha. Chuaigh Cleite, Péarla, Éclair
agus Crúca Beag ag iomramh go tréan

le héalú ón long. D'eitil Rísín agus Cócó timpeall orthu agus gach béic astu: 'Cabhairrrr! Dúnmharrrfóirrrí!'

Ansin chuaigh siad i bhfolach faoi léine Chleite... agus a gcuid cleití ar creathadh. Chuir sé sin dinglis ann agus bhí sé deacair air iomramh.

Le dul i gcion ar Phéarla, ba bhreá le Cleite *An Crochadóir* a chur go tóin poill le haon bhuille amháin, ach is deacair d'fhoghlaí mara beag long mhór a leagan.

Chrom Crúca Beag i dtreo Fhlic-Flac. Shnámh an deilf i ngar don bhád agus chuir Crúca Beag cogar ina chluais. Chroith an deilf a cheann lena thaispeáint dó gur thuig sé. Thum sé faoin bhfarraige agus d'imigh leis go sciobtha.

'Céard a dúirt tú leis?' a d'fhiafraigh Cleite.

'Inseoidh mé duit ar ball. Coinnigh ort ag iomramh!' a dúirt Crúca Beag. Mhair an tóir i bhfad. Tháinig *An Crochadóir* fíorghar dóibh. Bhí Cleite in ann Féasóg Bhearrtha agus a bholg mór agus a shrón ribeach a fheiceáil!

'Ha! Ha!' a deir an foghlaí mara dána. 'Tá sibh agam an uair seo! Tarraing-eoidh mé na cluasa oraibh! Crochfaidh mé ó bhur gcosa sibh, agus greamóidh mé sibh le biorán mar a dhéanfaí le féileacán!'

Ach ag an nóiméad sin, tháinig long eile taobh thiar den *Chrochadóir*. Bhí bean fhionn ar an deic agus claíomh ina láimh aici. Lena hais bhí

triúr cailíní, agus piostail agus claimhte móra acu. Chas Féasóg Bhearrtha thart, agus nuair a chonaic sé an bhean fhionn d'athraigh sé dathanna.

'Sin í Caitlín an Choncair*, an bucainéir cáiliúil, agus a cuid iníonacha Fionnuala na Feirge, Rós na Ruaige, agus Gormlaith na nGártha,' a dúirt Crúca Beag de chogar. '*An Gála* atá ar a long siúd.'

'Tá aithne agat orthu?' a d'fhiafraigh Cleite de.

'Tá aithne ag gach duine orthu,' a dúirt Crúca Beag. 'Gearrann siad foghlaithe mara eile ina bpíosaí beaga tanaí.' Ach ní raibh cuma ró-imníoch ar Chrúca Beag. Go deimhin, bhí cuma shásta air. Sula raibh an t-am ag Cleite smaoineamh, thosaigh gunna an *Ghála* ag caitheamh leis an *gCrochadóir*.

'Gan trócaire!' a bhéic Caitlín an Choncair.

Stróic na piléir seolta an *Chrochadóra*

agus bhain siad an hata d'Fhéasóg Bhearrtha. Bhí sé imithe i bhfolach i mbairille folamh, ach bhí a fhéasóg ag gobadh aníos as. Tharraing Rísín agus Cócó na ribeacha ar a fhéasóg.

'Hurrrá! Hurrrá! Tabharrrfaidh muidne bearrradh duit!'

'Fóir orainn!' a bhéic Féasóg Bhearrtha.

D'imigh *An Crochadóir* faoi lánseol, ach ní raibh Cleite agus a chairde saor ó thrioblóidí. Bhí siad anois faoi smacht an Choncair!

Lig sí féin béic aisti. 'Deifrígí! D'fhéadfadh *An Crochadóir* teacht ar ais nóiméad ar bith! Ceangail bhur mbád den long s'againne agus tabharfaimid linn sibh ar cheann téide*... agus ná cloisim oiread is focal asaibh!'

Rinne Cleite mar a d'iarr sí. Thug sé faoi deara ansin go raibh Flic-Flac ag snámh go sásta thart timpeall ar an *nGála*. Bhí sé sin aisteach freisin, a shíl sé.

Tagtha saor ó Fhéasóg Bhearrtha, tá na páistí faoi smacht ag Caitlín an Choncair.

Rún Chrúca Bhig

Thug *An Gála* an bád iomartha chomh fada le hOileán na Seacht gCloigne. B'ansin a chonaic siad gur fheil an t-ainm go maith don oileán. Bhí seacht gcarraig ag gobadh amach as an bhfarraige cosúil le seacht gcloigne an bháis.

Léim na páistí i dtír.

Tháinig siad ar thrá álainn, agus ar chuan agus crainn chócó mórthimpeall air, ach níor fhág Caitlín an Choncair an t-am acu le hosna a ligean. Léim sí ar Chrúca Beag, rug greim láimhe air, agus d'ordaigh sí dá hiníonacha breith ar an dtriúr eile.

Bhrúigh Fionnuala na Feirge, Rós na Ruaige, agus Gormlaith na nGártha, an triúr ógánach isteach i gcábán ar an gcladach agus chuir siad glas ar an doras. Bhí siad ina bpríosúnaigh.

Bhí faitíos a gcraicinn ar Chleite, ar Phéarla agus ar Éclair — cé go raibh Cleite beagáinín sásta ar chúis eile. Nuair ba mhó an chontúirt, d'fháisc Péarla a lámha ina thimpeall.

Osclaíodh an doras ar deireadh. Sheas Crúca Beag ansin agus meangadh go cluais air. Bhí an foghlaí mara agus a triúr iníonacha ina seasamh lena thaobh agus iad ag gáire.

'Ach, ach, ach...' a dúirt Cleite.

'Tá gach rud go breá, a dúirt Crúca

Beag. 'Is í Caitlín an Choncair mo mháthair.'

'Céard a dúirt tú?' a d'fhiafraigh Cleite, Péarla agus Éclair.

'Bhíodh mo mhama agus mo dheaide de shíor ag troid. Ar deireadh, d'fhág mo mhama *An Spéirling* agus chuaigh sí chun cónaithe ar an oileán seo le mo chuid deirfiúracha.'

Lig sé osna as agus labhair sé arís: 'Chum mé an scéal sin faoi órchiste le go leanfadh sibh mé. Bhí mé i ndáiríre ag iarraidh mo mháthair agus mo chuid deirfiúracha a fheiceáil. Níor cheart dom úsáid a bhaint as bhur gcuid trioblóidí, ach bhí mé uaigneach ina ndiaidh.'

'Mo Philibín beag,' a dúirt a mháthair, 'nach tú atá lách.'

Bhí Cleite ag gáire. 'An Pilibín atá ort i ndáiríre?' Bhí sé dearmadta aige gur inis a chara bréag dó.

'Sea,' a dúirt a chara, agus é ag deargadh le náire, 'ach b'fhearr liom i bhfad an t-ainm Crúca Beag.'

Thug Éclair póg dó. 'Ach is maith liom Pilibín.'

Tá an rún scaoilte. Is í Caitlín an Choncair máthair Chrúca Bhig.

Caibidil 5

An Troid Mhór

Ar deireadh, ní raibh Caitlín an Choncair chomh dona sin i ndáiríre. Bhí sí ina cónaí i bpluais an-chompórdach ar an taobh eile den oileán. Thug sí cuireadh do na páistí dul ag spraoi inti.

Bhí an phluais lán le hainmhithe beaga aisteacha. Chuireadh na páistí dinglis sna portáin agus bhídís ag spraoi leis na cloicheáin*. Bhí Cleite ag cuimhneamh ar oidis chócaireachta dá athair.

San oíche, d'imrídís folach bíog thart ar na cloigne móra cloiche. Bhí cuma bheo ar chloigne an bháis. Chuiridís faitíos orthu anois is arís.

'Shílfeá go rabhamar ar long taibhsí,' a dúirt Cleite.

Rinne Fionnuala, Rós agus Gormlaith peata beag dá ndeartháirín. Bhí éad ag teacht ar Chleite agus Éclair. Ach an lá

dar gcionn, nuair a bhí na páistí ag spraoi ar an trá, chonaic siad seol ar íor na spéire.

'Sin í *An Spéirling,*' a bhéic Crúca Beag. 'Sin é m'athair. Bhí tuairim mhaith aige cá raibh mé, agus tá sé tagtha do m'iarraidh.'

Bháigh *An Spéirling* an t-ancaire amach ón gcuan. Léim an Captaen Féasóg Fhionn i dtír agus rith sé i dtreo Chaitlín an Choncair.

'D'fhuadaigh tú mo mhac,' a bhéic sé. 'Bainfidh mé an cloigeann díot. Beidh níos mó na seacht gcloigne ar an oileán seo!'

'A bhithiúnaigh! Beidh sé ina bháire fola!' a bhéic Caitlín an Choncair.

Bhí an troid chlaimhte uafásach. Rinne an dá chlaíomh an oiread torainn gur baineadh preab as Flic-Flac agus

thum sé faoin bhfarraige. Shocraigh Cleite teacht eatarthu sula maródh tuismitheoirí a chara a chéile. Thum sé a hata san fharraige agus chaith sé uisce ar an dá throdaí.

Agus, gan súil ar bith leis, phléasc Caitlín an Choncair agus Féasóg Fhionn amach ag gáire.

'Is fada ó bhí an oiread spraoi agam,' a dúirt Féasóg Fhionn de bhúir.

'Ná mise,' a dúirt Caitlín an Choncair. 'Sin é! Tá mé ag filleadh ar an *Spéirling* leatsa, agus ionsóimid long éigin ar an bhfarraige!'

Agus phóg siad a chéile! B'fhéidir go mbíodh Féasóg Fhionn agus Caitlín an Choncair de shíor in adharca a chéile, ach chuireadh troid mhaith an-ghiúmar orthu. Leath an dá shúil ar Chleite, ar Phéarla agus ar Éclair, ach rinne Crúca Beag agus a chuid deirfiúracha damhsa le ríméad.

'Hurá! Hurá!' a bhéic Crúca Beag, agus é ag pocléimneach ar an ngaineamh.

Agus chum siad amhrán ar an toirt:

Go maire cogadh agus cnámha,
Stoirm, cuaifeach agus gála!
Go maire foghlaithe mara na féile.
Tá mo thuismitheoirí ar ais le chéile!

Cé a chreidfeadh é! Tá tuismitheoirí Chrúca Bhig ar ais le chéile faoi dheireadh!

Sona Sásta faoi Dheireadh!

Threoraigh Féasóg Fhionn agus a chlann an bád iomartha go dtí *An Bolg Lán*.

Bhí imní ar Chleite agus ar Éclair. Ní raibh a fhios acu céard a déarfadh a gcuid tuismitheoirí leo.

Ní raibh oiread agus órchiste féin aimsithe acu.

'Cá raibh sibhse imithe? Beidh sé

ina raic!' a dúirt Toirtín agus Bairín de chogar agus iad ag cabhrú leo dreapadh aníos taobh na loinge.

Ach, thug an Captaen Plúr agus Mama Plúr póg don bheirt acu agus d'fhiafraigh siad díobh cén chaoi a raibh siad.

'Cén fáth ar imigh sibh? Bhí an-imní orainn.'

'Chuamar sa tóir ar órchiste le súil is go sásódh sé sin sibh,' a dúirt Cleite.

'Mar táimid tuirseach den troid,' a mhínigh Éclair dóibh.

Chroith Toirtín, Bairín agus Rísín a gcloigne. Bhreathnaigh an Captaen Plúr agus Mama ar a chéile agus dheargaigh siad le náire.

AN BOLG LÁI

'Ní bheimid ag troid níos mó,' a dúirt Mama. 'Táimid ag iarraidh go mbeidh gach duine sona sásta ar an *mBolg Lán.*

'Agus tá oideas nua cócaireachta agam,' a d'fhógair an Captaen Plúr. 'Putóg bharacúdaigh ar anlann smugairle róin.* Réiteoidh mé daoibh é Dé Domhnaigh.'

Beidh blas aisteach air sin, a dúirt Cleite leis féin. Ní raibh a fhios ag Cleite ar chóir dó a theanga a chuimilt lena fhiacla, é féin a chaitheamh chuig na siorcanna, nó amhrán Chrúca Bhig a chanadh:

Go maire foghlaithe mara na féile.
Tá mo thuismitheoirí ar ais le chéile!

 An tÚdar

I Strasbourg i 1958 a rugadh **Paul Thiès**. Agus ní faoi chabáiste a tháinig sé ar an saol, ach faoi chrann seoil. Taistealaí mór é Paul Thiès. Tá na seacht bhfarraige agus na cúig mhuir seolta aige. Tá taisteal déanta aige ar ghaileon Airgintíneach, ar charbhal Spáinneach, ar shiunc Seapáineach, ar shiaganda Veiniséalach, agus ar ghaileon órga Meicsiceach — gan trácht ar bháidíní aeraíochta na Seine i bPáras, ná ar thrálaeir na Briotáine. Saineolaí é ar fhoghlaithe mara, ar mhairnéalaigh, ar bhráithreachas an chósta, agus go deimhin ar fhánaithe de gach uile chineál. Ach is é Cleite is ansa leis.

Mar sin, bon voyage agus gach uile dhuine ar deic!

❷ An tEalaíontóir

Louis Alloing

"Bhí an fharraige os comhair mo dhá shúl i gcaitheamh mo shaoil. I Rabat i Maracó ó 1955, agus ansin i Marseille na Fraince, nuair a bhreathnaigh mé amach ar an Meánmhuir chuimhneoinn ar oileáin bheaga, ar thonnta beaga, ar fhoghlaithe mara beaga — agus ar bholadh breá an tsáile. Díreach cosúil leis an Muir Chairib, agus le farraigí Chleite agus Phéarla.

Anois i bPáras, scoite amach ó sholas na Meánmhara agus ó dhromchla gorm na farraige, bím ag tarraingt pictiúr ar pháipéar. Ligim do thonnta na samhlaíochta mé a thabhairt ar lorg Chleite is a chomrádaithe. Níl sé éasca, bíonn siad de shíor ag gluaiseacht! Obair mhór iad a leanúint, agus mé i ngreim i mo pheann mar a bheadh Cleite i ngreim ina chlaíomh. Eachtra mhór le foghlaithe mara beaga!"

Clár